♯80 천재의 우울 2

싸움 뒤엔
배가 고픈
법이야.

잘도 먹네.
오빠,
몇 그릇째지?

한 그릇
더!!

8강!

이제
16강이냐,
치수야?

8강이라고?
대단하구나.

다음 시합엔 나도 응원하러 꼭 나갈게. 그날은 일요일이기도 하고!

맞아요, 아빠! 올해는 정말 북산이 강해졌어요!!

어머, 누구지?

보나마나 신문 보는 걸 거다. 치수가 나가볼래?

내참 ….

!!

하나 더!

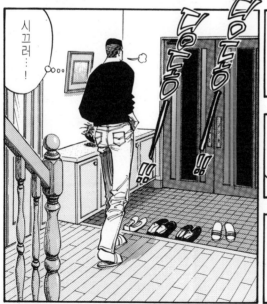

시끄러…!

소연아…

가득 퍼!

맙소사!!

쉬 - 잇!!

소연이가 들어요!

왜 왔어? 강백…

웬일이냐, 너?!

백호…

너 아직 안 돌아갔나?

틀렸어. 이 꼰대는!!

쳇…! 역시 고릴라 따위한테 오는 게 아니었어…!!

?

밥은 없다!

뭐어…!!

퇴장
안 당하려면
어떻게
해야 하는지
가르쳐줘요.

이곳엔 다시는 안 올 생각이었는데….

이젠 다 나았어.

농구해도 괜찮다.

그러나 절대 안 진다. 이 정대만이 있는 한!!

다음은 상양…. 해남대부속과 맞먹는 강호다.

대만…
이냐…?

철아
…!

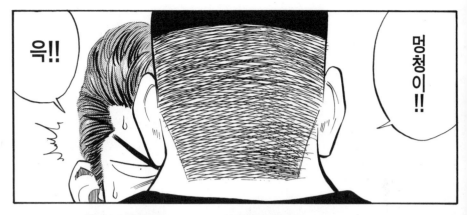

멍청이!!

윽!!

잘 들어. 파울과 나이스 디펜스는 종이 한장 차이야.

하지만 디펜스만큼 꾸준한 노력을 필요로 하는 것도 없다.

퇴장 안 당하는 요령 같은 건 없어!! 아무리 잘하는 놈이라도 퇴장당할 수 있단 말이야!!

하… 하지만!!

윽…!

평소 꾸준한 훈련으로 터득하는 수밖에 없어. 그 때문에 매일같이 풋워크를 하는 거야.

네녀석이 싫어하는~!

풋워크…

하지만… 더이상 퇴장당할 수는 없어요-!!

!!

말로 해서 되는 게 아냐!!

디펜스란 것은…!!

빙글

·····

어느 정도의 동작에서 호각 소리가 났는지…, 또 파울이 났는지… 잘 생각해봐.

지금까지 4시합에서 짧은 동안에 스무번이나 파울을 했으니까….

그렇다면 수비할 때 상대에게 돌파당하지 않는 것을 제일 먼저 생각해야해!

단번에 볼을 뺏어서 멋있게 보이려 하면 안돼!

음….

이 천재님을 깔보고 있어…. 두고 보라지!

쳇… 고릴라 녀석, 잘난 체 하긴…!

분명 천재임이 틀림없어!!

당연한거 아니겠어!

그래, 난 천재야 !!

·····

응…?

……?

꽤나
집념이 강해.
후후….

그래….

오늘 온 사람은
꽤 끈질겼네!
오빠가 나가면
금방 가버렸는데….

?

하지만
그 정도 하지
않으면 곤란해.

상양전의 열쇠는
아마 그 녀석이
될 거야….

그리고
또 한명….

?
?
?

뭐?

철아
…!!

제법
스포츠맨
같구나.

그 머리는
어떻게
된 거야?

무릎 검사를
받았어.
혹시나
해서….

…………

그럼, 또 보자!

스포츠맨!!

이봐, 오토바이 멈춰!

멈추란 말야!

. . . . .

멈추지 못해!

헬멧도 없이 말야!!

또 보자...

철아!!

아직도 밤에는 조금 춥군.

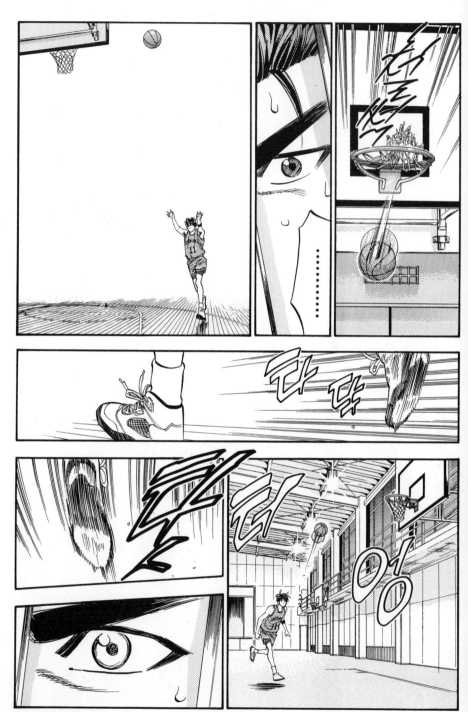

SLAM
슬램덩크 완전판 프리미엄
DUNK

#81 강호

대회 5일째.
스탠드는
많은 관중으로
붐비고 있었다.

4개의
※시드(Seed)교가
등장하기
때문이다.

해남대부속

능남

상양

북산

무림

A C

B D

A, B, C, D
4개조의
각조 1위 팀으로
결승리그가
행해진다.

최종적으로
결승리그 1위와
2위를 차지한
두 팀이 전국대회
출전권을 딸 수
있는 것이다.

※시드(Seed):토너먼트식 경기에서 처음부터 강한 팀끼리 맞붙지 않게 짜는 일.

제1시드의
해남대부속고와 —

해남대부속
요 지 고 —

작년 출전권을
따낸 팀은···

나가는
팀은 —

전국대회에,

·······

어느 팀일까 —?!

응?

무슨
소리야?

상양!!!

상양!!!

상양!!!

......

우와-
대단한걸!
역시 전국에서
노는 팀은
응원부터가
틀려～!!

이런 팀과는
절대 붙고
싶지 않아

진작에
지길 잘했어.

전부
벤치에
앉아
있어….

너무 차이가
나는걸….

엄청난걸!

벤치에
앉지도 못하는
농구부원이
저렇게 많나?!

북산은?

0057

중요한
시합이다!!

제1경기장 탈의실

←

나용하신 복은 나용하네요.

치수도
너무 긴장해서
잠을 설쳤구나….
나도 새벽 4시에
눈이 떠져버렸어.

너도
마찬
가지야.

눈 밑에
기미가….

단단히
기합을
넣고…
응?

상양은
지금까지의
상대와는
차원이
달라!!

뭐?!

어디 가는
거야? 대만아!
이제
곧 시합인데….

정말 한심한
녀석들이네!
상양 정도로
뭘 그리
긴장하냐.

잘난 척
하긴…!

헤헤헤….
자기가 제일
긴장한
주제에…!

몇번째야?!

변소 간다.

이길 수
있을까
…?

응….
작년 2위라는 건
능남보다
강하다는
뜻이니까….

역시
지금까지와는
분위기가 달라.
모두….

그
능남보다…!

안 나와!!

휴우ー!…

시끌 시끌.

응?

빌어먹을…. 중학교땐 이렇게 긴장하지 않았는데….

웅성 웅성.

무석중학의 그 정대만이래. 중학 MVP였던….

알고 있어?

…!

아아, 알고 있어….

뚱눌 때 사람이 들어오면 마음이 진정이 안되는 건 왜일까…?

상대팀 북산 14번 말야….

괭장한 슈터였어….

녀석과는 중학교때 붙은 적이 있어…. 그땐 정말 막을 수가 없었어. 중학생이란 걸 믿을 수 없을 정도였으니까!

상양 녀석들 이군…!!

그래…

아마 포지션대로면 네가 마크하겠지?

이젠 그때만큼 못하던걸….

하지만 그때가 정대만의 전성기였지.

그래, 부탁해!

어쨌든 정대만을 5점 이내로 막아보이겠어.

…그럴지도….

그건 네 실력이 향상되었기 때문 아냐?

어디 날 얼마나 막나 두고보자!!

중학교땐 이름도 없던 녀석이 상양에 들어갔다고 우쭐대고 있어....

쳇...

제1경기장 탈의실

자...

네!!

슬슬 가볼까요?!

우와 –
나왔다!!

북산이다!!

웅성, 웅성.

아냐,
그건 모를
일이야!

상양의
적수가
안돼!!

북산의
기세도 이젠
꺾이겠지?!

응?!

이야~
강백호!!
여전히
들떠있구나
~!!

오오...
오늘은 관중이
많잖아...

이럴 때야말로
실력을 발휘하는
천재 강백호...!

오늘은
몇분만에
퇴장당할지,
지켜보겠어!!

핫핫핫핫!
오늘로
5시합 연속
퇴장 기록
달성할
거냐~?!

!

이 녀석들!!
또 놀리러
왔냐?!

돌아가!!
돌아….

백호야,
힘내!

소연아!

아… 맞다!!

강백호! 뭐하고 있나?! 빨리 와!!

오늘 나의 과제는 퇴장당하지 않는 것!!

또 한 가지는 득점하는 것!! 서태웅보다 더 많이!!

북산ㅡㅡㅡ!

좋아ㅡ 파이팅이다!!

본때를 보여 줘야지!!

작년에 봤을 때 비교적 키가 작은 팀이었어요!!

상양과 대전한 적은 없지만….

파이팅!

북산!!

하지만 후보 선수들은 키가 큰 선수가 많았었지. 한나양도 기억나지 않아요?

음…. 주전들은 작았지.

아…!

그들이 올해의 3학년이에요.

스스로 과제를 설정하는 천재 강백호! 역시 틀리다니깐!!

!

!!

정환이형!

해남은 어느쪽이 이긴다고 예상하죠?

10점 차로 상양이 이긴다.

능남은…? 덕규형?!

과연 두목
원숭이!!

이쪽도 벌써
불꽃
튀기는걸…!!

어느쪽이든
무조건
3000점…!!

음….
오늘 상대는
강한 팀이에요.

옛
!!

3분전입니다!!

스타트는
치수군, 대만군.

태섭군,
태웅군….

6번이
어느 녀석
이지…?

웃샤!!

가자!!

PF (파워포워드)
⑩ 강백호 (1학년)
188cm 83kg

C (센터)
④ 채치수 (3학년)
197cm 90kg

천재
강백호!

멍청이들!
실력이야,
실력!!

승부를
포기했나,
북산이
-?!

우와~~~!
백호가 스타팅
멤버잖아~!!

오늘이야말로
기대에
보답
하겠어
…!!

소연아…

여기서 이기면
드디어 4강 결승리그
진출인데….

아아….
왜 이렇게
두근거리지?

북산은 한번
기세가 오르면
걷잡을 수 없는
팀이다.

절대
방심하지
마라.

그리고 올해야말로….

鬪 魂

상양고등학교 농구

이 시합에선 반대로 우리들이 그 기세를 몰고 가자.

넘버원 (NO.1)이다.

우리들이,

아니, 저 분은 단지 고문 선생님이야. 농구를 전혀 모르지.

강팀의 감독으론 안 보여요.

준호형, 상양 감독이 저 사람이에요?

⋯⋯

선수겸 감독!

감독은 저 녀석이다.

F (포워드)
⑦ 임택중(3학년)
191cm 84kg

CF (센터포워드)
⑧ 오창석 (3학년)
193cm 85kg

F (포워드)
⑥ 장권혁(3학년)
190cm 81kg

성현준!!

야, 6번! 나를 5점으로 막겠다고?

.....

.....!

어느 중학교 출신인지 모르겠다만...

쳇.... 얼굴도 기억나지 않는 녀석이....

.....

웃기지 마라!!

성현준!!

성현준!!

성현준!!

성현준 선배!!

성현준 선배!!

현준이는 상양의 스타잖아.

어마어마한 응원인데!!

성현준!!

성현준!!

성현준!!

북산은 이렇게 요란한 응원속에서 시합하는 건 처음이겠지…

……

왁!

왁!

왁!

C (센터)

⑤ 성현준 (3학년)

197cm 83kg

성현준!!

※볼이 최고점에 이르기 전에 점프해서 볼을 터치해서는 안된다.

#83 NO. 1(넘버 원) 센터

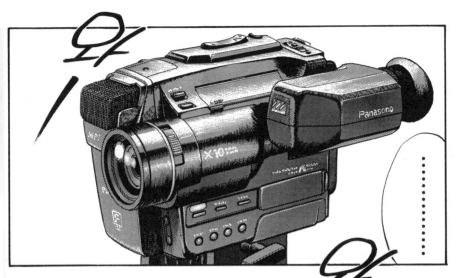

상양의 볼로
스타트 됐군.

소리가
들어가잖아,
경태야.

북산,
빨리도
승부를
거는군요.

중요체크다!

강백호가
권다선이
거약임위
있어서 퍼군이
모으겠구요.

북산은 이번 대회
전시합 퇴장이라는
최악의 컨디션을 보이고
있는 백호형을 처음으로
스타팅 멤버로
기용했어요.

권준호는
상양과는
신장 차가
너무
나니까….

8번!!

8번
O.K!!

크다!!

윽…!!

음…

치수 선배 말고는 모두 자기들보다 큰 상대군요.

태섭이는 10cm 이상이나….

저렇게 간단히 위를…!!

!
!!

여기서
성현준을
막아내면
단숨에

기선을
제압할 수
있다!!

〈페이더웨이 점프슛〉 (fade away jump shot)

뒤로 점프하며 쏘는 슛.
상대에게 블로킹 당하지 않기 위한 기술.
하지만 뒤쪽으로 너무 많이 기울게 되면 착지후
10m정도 보기 사납게 뒷걸음칠 수도 있다.

Dr. T의 바스켓볼 입문

너,
안경!!

!!

백호야!

안돼!

안경

안경 선배

응?

네 녀석도
조만간
내가
쓰러뜨린다!

아얏!
야, 안경!
천재를
무시했겠다!

!

응?

비켜!

으…
고릴라!!

이 시합에서
나의 진짜
실력을
보여
주겠다!!

빌어먹을….
퇴장당하지
않을 것!!

서태웅보다
골을 더
넣을 것!!

리바운드를
제압할 것!!

오늘의 과제

도내 넘버원
센터를
가리는
대결
제1라운드다.

채치수 대
성현준….
거기에 변덕규를
포함한
이 3명….

아냐, 그보다는
지역방어에
가까운
맨투맨이다.

봐라,
저 이상
외곽으로
나오지
않잖아.

상양의
디펜스는….

하프코트
맨투맨이군요.

수비할 때도 평소엔 손만 뻗어도 되던 것이 이젠 힘껏 뛰어오르지 않으면 안되니까.

북산은 저 장신들을 상대하는 것만으로 다른 경기보다 배는 괴롭겠지.

패스를 하든, 슛을 하든 항상 저 장신을 계산에 넣지 않으면 안돼.

인사이드에서…

정말이네…. 저 정도의 장신들이 버티고 있으면 채치수형이나 백호형도 힘들겠어요.

상양의 이 높이는 틀림없는 도내 최고다…!!

멍청이!!
무조건
손을
내밀지 마!!

많잖아!

으…

파울!
북산
10번!!

시끄럿—!!

못된
것들..!

하나~!

별써..!

젠장..!!

잘한다,
상양!!

왜!

왜!
끽!
꺽!

왜!

꺽!

이겨라,
상양!!

아무리 해도
손이 나가고
말아…
반사신경이
너무 좋아서
그런가…?

천재라서
걱정일까?!

굉장해…!!

치수나
덕규가 강철의
센터라면 성현준은
부드러움을
갖춘 센터다.

성현준과
채치수의
이 대결….

북산의 기둥인
채치수가 성현준을
감당하지
못한다면
이 시합은….

단숨에
원사이드 게임이 될
가능성이 있다.

성현준!!

성현준!!

성현준!!

성현준!!

#84 개인 플레이

음.... 상양은 강하다!

역시 상양이 엄청나게 강하다는 걸까요?!

북산은 시합 개시부터 6분 동안 무득점이에요.

우왓 -!! 3점 슛이다!!

11 대 0 !!

적어도 우리와 싸울 땐 이렇지 않았다.

하지만 북산도 강한 팀임에는 분명해.

하아! 하아!

빌어먹을…! 어서 한 골을 넣어야 할텐데!!

상양이라고 겁먹을 거 없어!!

어떻게 된 거야, 모두들…?! 벌써 숨이 차면 어떡해?!

왜들 그래?!

!!

북산의
핀치!!

우와 -
＊스틸!!

더 이상
점수 차가
벌어지면
따라잡을
가능성이 희박해.

채치수마저
굳어져
있어….

이
녀석이!!

누가
해냈자나?!

이건 역시 상양이
강한 상대이기
때문에 북산이
굳어버린 걸까요,
유명호 해설자?!

※스틸: 패스나 드리블 등을 커트해 상대로부터 볼을 빼앗는 것.

아니!!

저 녀석,
1 대 2인데
돌파하겠다는
건가?!

1학년
애송이가…!

야,
서태웅!!
찬스를
망칠
셈이냐!!

패스!
패스!
패스!
패―스!

아! 저런 무모한 짓을…!!

내리쳐줄테다!!

까아악~

오옷, 쟤네들도 와 있었구나!

쟤네들 뭐야?!

서·태·웅!!

서·태·웅!!

서·태·웅!!

들어갔으니 다행이지만, 방금은 우릴 기다려서 3대 2로 가는 게 옳았잖아?!

너, 너, 너! 개인 플레이로 혼자 잘난 척 하다니! 못된 녀석!!

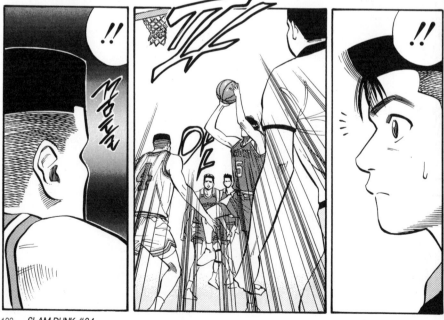

#85 미스매치

나이스 슛,
서태웅!!

와아
-!!

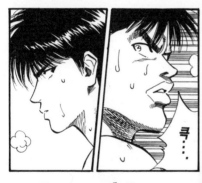

쿠···.

SHOYO

8

!!

멍청이!
찬스만
오면 그 모양
이니···.

···이
천재가
초보자나
하는
실수를···!

녀석은 어마어마한 스타가 될 것이다.

그런 예감이 들어….

음…. 승부는 지금부터다!

북산도 드디어 평소 리듬으로 돌아왔어요!

이렇게까지 게임에 영향을 주는 1학년 선수는 많지 않아….

그렇다고 해도…. 또다시 이 위기를 극복해낸 건 수퍼루키 서태웅….

· · · · ·

165cm의 나로서는 …!!

서태웅! 정말 두려운 존재다…!!

내겐 저런 신장도 소질도 없다…. 난 평생이 걸려도 서태웅 같은 선수는 될 수 없을 거야….

우와아!!

놓고
온다!!

꺄악 -!
해냈어!!

저렇게
빠를 수가!!

우와!!

#86 상양의 오산

한나♡

바보 녀석!
한눈을
팔….

엇!

우왓!
골인이다!

멋지다,
7번!!

북산이 또
따라붙었어~!

8 11:58 11

아니!!
걷지 않았어!

워킹!!
지금 건
워킹
이었어요!!

우
와
아
ㅡ!!

하하하하핫! 당연하죠, 안경 선배!

잘했어!! 이길 수 있어!!

북산에 저런 좋은 가드가 있었다니…!!

이 천재 강백호의 스타팅 기용이 멋지게 적중했어요. 영감님!!

아무것도 못한 주제에…

송태섭…!!

당황할 필요없어!

어찌된 거지, 모두?!

상대의
페이스에
끌려가선 안돼.

인사이드를
단단히 지켜.

북산의 10번과
11번의
1학년 콤비….
점프력이
뛰어나다.

그리고
창석이,
택중이….

옛
!!

· · · · ·

!

준섭아….
송태섭은
너와 같은
2학년이다.

뒤져선
안돼!

저 녀석들을
너희보다 작은
상대로
생각하지 마라.

옛
!!

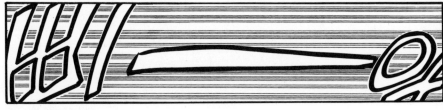

그래!!

음…. 좋은 때에 김수겸이 작전타임을 불렀어.

대단한 녀석이야.

상양이 또 침착해 졌어요.

녀석이 벤치에 있는한 상양은 항상 여력을 갖고 있는 거다.

북산은 한시라도 빨리 김수겸을 끌어내야해.

예!!

북산의 속공만은 막자!!

상양, 파이팅!!

힘내라, 상양!!

파이팅, 상양!!

전혀 다른 팀이 된다.

김수겸이 가세한 상양은…

우와, 또 가로챘다!

속공!!

앗!!

!!

백... 백코트가 빨라졌어!!

※30초룰: 공격측은 30초 이내에 슛하지 않으면 안된다.

채치수!!

저 녀석은 3년전에 중학 농구대회에 출전했던 무석중학교의 4번이야!!

MVP 였던 정대만!!

이거 너무 소란스럽잖아?!

겨우 하나 넣은것 가지고!

으···

이거 굉장한데!!

북산은 역시 굉장한 팀이 되었어!!

저 녀석, 북산에 있으면서 왜 지금까지 나오지 않았지?

2년간 이나···

응?

응응···

그건 잠시 방황 했거든···

정대만!

그 정대만 이라고?!

으윽!!

뭐?!

노카운트!!

공격자
반칙!!
북산 14번!!

괴…
굉장해!!

좋았어!
들어갔어!!

창석아!!

권혁아!!

준섭아!!

택중아!!

좋았어—!!

나이스, 성현준!!

망설일 필요없다!!

저 녀석, 일부러…!

우리들은 상양이다!!

의지가 되는 녀석이다…!!

현준 선배!!

북산은 이번 공격을 반드시 막아내야만 한다!! 왠지 알겠니, 경태야?!

사... 상양은 아직 김수겸 선수가 나오지 않아서인가요?

경태야, 이 한 점이 승부처다. 잘 봐둬라!

긴장은 피로를 가중시킨다. 북산은 상대가 상양이라는 것만으로 상당히 긴장해 있다!!

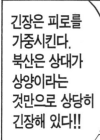

그것이 하나!! 두 번째로는 피로다!!

두 자리 수로 벌어지면 정신적 부담이 엄청나게 커지게 된다!! 그렇게 되면 후반엔 더욱 점수 차가 벌어지겠지!!

아.... 그렇군요. 무척 힘든 모습인데요!!

한 자리 수의 점수 차라면 아직 뒤쫓을 기력이 나겠지만….

이런 악조건 속에서 후반에 뭔가 기대를 걸기 위해선, 꼭 한 자리 수의 점수 차로 전반을 마쳐야 한다!!

여기서 점수를 빼앗기면 북산은 패배한다.

하이!

하이!

하이!

디펜스!!

디펜스!!

디펜스!!

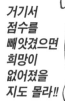

거기서
점수를
빼앗겼으면
희망이
없어졌을
지도 몰라!!

맞아!!
그
리바운드가
팀을 구한
거야!!

지금의
리바운드는
10개
정도의
가치가
있었어!!

멋있었어,
백호야!

역시 난
리바운드왕
인가?!

그…
그래?!

그…
그래?!

-하프타임-

리바운드왕
강백호!!

그
래
ㅡ
!!

소
연
아
…!!

이거 후반전이 기대가 되는걸!

우와~!!

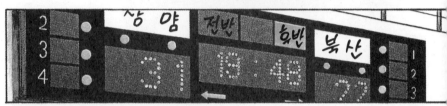

저 바보!!

저런 터무니 없는…!!

골밑의 왕자, 강백호!!

어엇?!

우와!!

내가 잡는다!

어라?!

엉?!

내가 잡을 거야!!

내가 잡을 거야!!

골밑의 왕자, 강백호!!

우왓
─!!

어마
어마
한데…!!

저게
채치수의
고릴라 덩크!!

나왔
다
─!!

치수형!
정말
18살
맞아요?!

이걸로
7점 차!!

현준아!!
방심하지 마,
너답지 않아!!

그래
…

깡 깡!!

새치기꾼!!

시끄럿!

교활해!!

쿠 ㅇ 쾅!

예측할 수
없어…!

뭔가 이상해.
저 녀석…
움직임이…

후반의 첫 득점은 북산 이군요!!

주포 채치수의 고릴라 덩크!!

. . . . . .

백호형의 리바운드 덕분이란 말씀이세요?!

역시 전반을 한 자리 점수차로 끝낸 것이 컸어!!

그래.

이걸로 북산이 추격하는 분위기가 되었어.

디펜스!!

디펜스!!

디펜스!!

오옷?!

리바운드는 내게 맡겨라!!

후웃!!

리바운드!!

스크린아웃!!

으!!

이 빨강
머리가!!

스크린 아웃의 기본기를 확실하게 보여주고 있다!! 파워도 있어!!

숫은 풋내기처럼 서툴지만 리바운드는 다르다!!

이런...!!

이 10번을 너무 얕보고 있었어!!

웃샤!!

고릴라!!

좋았어ー!!

1점 차다!!

후반은
완전히
북산
페이스다!!

드디어,
드디어,
드디어
-!!

1
점
차
!!

그렇다고
해도 도내
제일의
높이를
자랑하는
상양을
상대로
…!

저
리
바
운
드
는
…!!

역전! 장! 완벽합니다!

시합의 흐름을
북산으로
몰고온 사람은
바로 저….

백호형이에요!!

우왓

완전히
우리
분위기야.

북
-
산
!!

북
-
산
!!

·····

강백호!!

이번 한 개는 꼭 잡아야 해!!

디펜스!!

디펜스!!

리바운드를 제압하는 자가 게임을 제압한다!!

네엣!!

너무 빨라!!

강백호!!

서둘지마, 택중아!!

크윽!!

멋져, 멋져! 정말 멋있어!!

백호야!!

이 녀석의 순발력은 상상이상이야!!

어느 사이에 나와 채치수보다도 위로…!!

!!

속공이다!
막아!!

아앗!
빠르다!!

역전이다
—!!

상양	전반	휴식	후반	북산
35		14:02		35

북산
정말 강해!!

북산이
드디어
역전!!

뭐야?

엉?

가드 안영수…!!

몇분 남았는데?

3학년 허태환…

북산이 역전했다고?!

무… 무슨 소리야! 해남이 능남 따위한테 스파이를 보낼 성 싶냐!

스파이냐?

야, 애송이. 넌 뭐냐?

주장, 변덕규!!

정말 크다~!!

뭐 ?!

뭐라고?!

요 꼬마가 …!

네엣!!

멤버
체인지!!

진짜 에이스의
등장이다!!

멍청한
놈.

음!!
후보가
나오는
건가?!

수겸아...

꼴사나운 얼굴들
하지 마라!!
해남이 보고 있다!!

간다 —!!

우와!!

녀석은 코트에 나왔을 때에만 감독이란 중책에서 해방되는 것이다.

선수겸 감독인 김수겸은 벤치에서는 감독이다.

감정을 억제하고 냉정해지지 않으면 안된다.

눈빛이 틀려졌어!!

벤치에 있을 때의 차갑고 냉정한 김수겸과는 전혀 딴판이야!!

다른 4명도 활기를 찾았어!!

으~!!

저
녀석!!

뭐
?!

재미있는데
…!!

이른지
어떤지
어디 한번
해보자!!

간
다
!!

후보에게
빼앗겼다!!

아앗!!

수겸아!!

송태섭!

그 벽을 송태섭이 넘을 수 있을까?!

도내 넘버원 가드의 쌍벽, 해남의 이정환과 상양의 김수겸!!

아아 아아 아아아

1대 1이다!!

나의 신장을 계산에 넣고!!

패스는 없다!! 승부해 온다!!

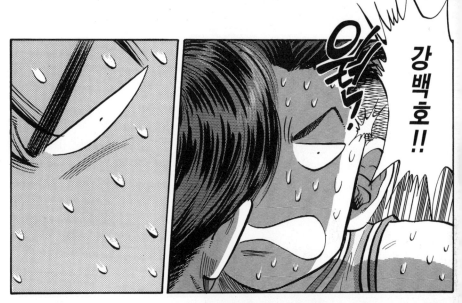

우왓!
인텐셔널
파울이다!!

인텐셔널
파울!!
북산
10번!!

북산
으로선
뼈아픈
파울이야!!

그럴때도
있는
거야.

일부러
한게
아넌데...

〈인텐셔널 파울〉
고의성이 있다고 판단되는 파울.
슛이 성공한 경우에는 프리스로
1개가 추가되고 또 다시 공격측의
볼이 된다.
상당히 엄격한 파울.

Dr. T의 바스켓볼 입문

이걸로
파울이
3개째야...

이
멍청한
녀석!

타이밍을
맞추기
어려워…
더구나
왼손잡이…!

숫을 던지는
타이밍이 빨라…!!
점프해서
최고점에
다다르기 전에
숫하는 느낌이야.

상양은 이제
제 페이스를
찾았어.

자아,
한골 더
넣자!!

기합넣고
간다!!

네...넷.

김수겸의
움직임을
잘 봐둬라.
경태야!

상양의
저 장신 4명을
살리는 건
지금부터다.

이얍!!

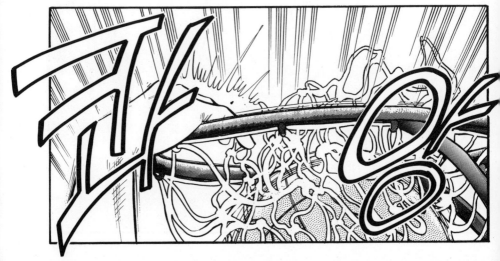

상대가 4명에 대한 마크를 타이트하게 해서 골밑의 수비를 강화하면 김수겸이 직접 골을 성공 시키는군요!!

그래, 맞았어!!

패스를 받은 4명의 빅맨이 마무리를 한다!!

김수겸이 돌파로 우선 북산의 디펜스를 흐뜨러놓으면….

단 한명의 포인트가드가 가세한 것으로 녀석들은 전국대회에 어울리는 팀이 된다.

김수겸이 없는 상양은 말하자면 2군…. 보통의 강팀 수준이지만….

김수겸의 게임 리드에 의해 녀석들은 자신의 힘을 발휘하는 것이다!!

북산이 힘들겠어….

파이팅, 상양!!

와아아아

잘한다, 상양!!

상양고등학교 농구부

시합 전에 여러분에게 말한 것을 기억하고 있습니까?

얼굴정…

그런데….

하아 하아!

헉헉!

하아 하아!

물론이입니다!!

우리들은 강하다!!

좋아요.

⑧ **SLAM DUNK**(完)

SLAM
DUNK

슬램덩크 완전판 프리미엄 8

2007년 9월 23일 1판 1쇄 발행   2023년 2월 14일 2판 3쇄 발행

•

저자 …… TAKEHIKO INOUE

•

발행인 : 황민호
콘텐츠1사업본부장 : 이봉석
책임편집 : 김정택/장숙희
발행처 : 대원씨아이(주)

•

서울특별시 용산구 한강대로 15길 9-12
전화 : 2071-2000 FAX : 797-1023
1992년 5월 11일 등록 제 1992-000026호

•

©1990-2022 by Takehiko Inoue and I.T.Planning, Inc.

•

ISBN 979-11-6944-802-4 07830
ISBN 979-11-6944-793-5 (세트)

•

SLAM
DUNK

슬램덩크 완전판 프리미엄